KIDS 키즈 수학 전문가가 만든 연산 교재

원리셈

10까지의 더하기 빼기 1

1주차 1 뛴 수 ⋯⋯⋯⋯⋯⋯⋯⋯⋯⋯⋯⋯ 9

2주차 더하기 1 ⋯⋯⋯⋯⋯⋯⋯⋯⋯⋯ 25

3주차 도전! 계산왕 ⋯⋯⋯⋯⋯⋯ 41

4주차 거꾸로 1 뛴 수 ⋯⋯⋯⋯⋯ 53

5주차 빼기 1 ⋯⋯⋯⋯⋯⋯⋯⋯⋯⋯⋯ 69

6주차 도전! 계산왕 ⋯⋯⋯⋯⋯⋯ 85

지은이의 말

수학은 원리로부터

수학은 구체물의 관계를 숫자와 기호의 약속으로 나타내는 추상적인 학문입니다. 이 점이 아이들이 수학을 어려워하는 가장 큰 이유입니다. 이러한 수학은 제대로 된 이해를 동반할 때 비로소 힘을 발휘할 수 있습니다. 수학은 어느 단계에서나 원리가 가장 중요합니다.

수학 교육의 변화

답을 내는 방법만 알아도 되는 수학 교육의 시대는 지나고 있습니다. 연산도 한 가지 방법만 반복 연습하기 보다 다양한 풀이 방법이 중요합니다. 교과서는 왜 그렇게 해야 하는지 가르쳐 주고 다양한 방법을 생각하도록 하지만, 학생들은 단순하게 반복되는 연습에 원리는 잊어버리고 기계적으로 답을 내다보니 응용된 내용의 이해가 부족합니다.

연산 학습은 꾸준히

유초등 학습 단계에 따라 4권~6권의 구성으로 매일 10분씩 꾸준히 공부할 수 있습니다. 원리와 다양한 방법의 학습은 그림과 함께 재미있게, 연습은 다양하게 진행하되 마무리는 집중하여 진행하도록 했습니다. 부담 없는 하루 학습량으로 꾸준히 공부하다 보면 어느새 연산 실력이 부쩍 늘어난 것을 알 수 있습니다.

개정판 원리셈은

동영상 강의 확대/초등 고학년 원리 학습 과정 강화 등으로 원리와 개념, 계산 방법을 더 쉽게 이해할 수 있도록 하고, 연습을 강화하여 학습의 완성도를 더했습니다.

학부모님들의 연산 학습에 대한 고민이 원리셈으로 해결되었으면 하는 바람입니다.

지은이 천종현

원리셈의 특징

☑ 원리셈의 학습 구성

한 권의 책은 매일 10분 / 매주 5일 / 6주 학습

☑ 원리셈의 시나브로 강해지는 학습 알고리즘

키즈 원리셈은

01 세분화된 원리 학습

02 다양한 유형의 연습

03 충분한 연습

04 성취도 확인

시작은 원리의 이해로부터, 마무리는 충분한 연습과 성취도 확인까지

☑ 체계적인 학습 구성

쉽게 이해하고 스스로 공부!

실수가 많은 부분은 별도로 확인하고 연습!

주제에 따라 실전을 위한 확장적 사고가 필요한 내용까지!

원리로 시작되는 단계별 학습으로 곱셈구구마저 저절로 외워진다고 느끼도록!

원리셈 전체 단계

 ## 키즈 원리셈

5·6세

1권	5까지의 수
2권	10까지의 수
3권	10까지의 수 세어 쓰기
4권	모아 세기
5권	빼어 세기
6권	크기 비교와 여러 가지 세기

6·7세

1권	10까지의 더하기 빼기 1
2권	10까지의 더하기 빼기 2
3권	10까지의 더하기 빼기 3
4권	20까지의 더하기 빼기 1
5권	20까지의 더하기 빼기 2
6권	20까지의 더하기 빼기 3

7·8세

1권	7까지의 모으기와 가르기
2권	9까지의 모으기와 가르기
3권	덧셈과 뺄셈
4권	10 가르기와 모으기
5권	10 만들어 더하기
6권	10 만들어 빼기

 ## 초등 원리셈

1학년

1권	받아올림/ 내림 없는 두 자리 수 덧셈, 뺄셈
2권	덧셈구구
3권	뺄셈구구
4권	□ 구하기
5권	세 수의 덧셈과 뺄셈
6권	(두 자리 수)±(한 자리 수)

2학년

1권	두 자리 수 덧셈
2권	두 자리 수 뺄셈
3권	세 수의 덧셈과 뺄셈
4권	곱셈
5권	곱셈구구
6권	나눗셈

3학년

1권	세 자리 수의 덧셈과 뺄셈
2권	(두/세 자리 수)×(한 자리 수)
3권	(두/세 자리 수)×(두 자리 수)
4권	(두/세 자리 수)÷(한 자리 수)
5권	곱셈과 나눗셈의 관계
6권	분수

4학년

1권	큰 수의 곱셈
2권	큰 수의 나눗셈
3권	분모가 같은 분수의 덧셈과 뺄셈
4권	소수의 덧셈과 뺄셈

5학년

1권	혼합 계산
2권	약수와 배수
3권	분모가 다른 분수의 덧셈과 뺄셈
4권	분수와 소수의 곱셈

6학년

1권	분수의 나눗셈
2권	소수의 나눗셈
3권	비와 비율
4권	비례식과 비례배분

키즈 원리셈의 단계별 학습 목표

초등학교 입학 준비는 키즈 원리셈으로!!

키즈 원리셈 단계를 고를 때는 아이의 배경지식에 따라 아래의 학습 목표를 참고하세요.

◉ 5·6세 단계

수와 연산을 처음 접하는 아이들을 위한 단계
수를 익히고, 덧셈, 뺄셈을 이해
덧셈, 뺄셈 기호는 나오지 않지만, 덧셈, 뺄셈의 상황을 그림으로 제시
필기를 최소화 / 붙임 딱지 이용
매주 마지막 5일차에는 재미있게 사고력 키우기 "사고력 팡팡 "

◉ 6·7세 단계

10까지의 수를 알지만 덧셈, 뺄셈을 처음 하는 아이들을 위한 단계
1에서 20까지의 수를 익히면서 더하기 빼기 1, 2, 3
수를 똑바로 세면 덧셈, 거꾸로 세면 뺄셈이라는 것을 이해하고 연산에 이용
수 세기를 먼저 배운 후, 같은 개념을 덧셈, 뺄셈에 적용
10이 넘어가는 덧셈도 받아올림을 하는 것이 아니라 수의 순서로 이해

◉ 7·8세 단계

한 자리 덧셈, 뺄셈의 개념은 있지만 연습이 필요한 아이들을 위한 단계
초등 1학년 1학기 교과에 해당하는 내용
가르기와 모으기를 충분하게 연습하면서 속도와 정확성을 올릴 수 있는 단계
1권~4권은 가르기와 모으기를 연습한 후 덧셈, 뺄셈의 개념으로 확장하여 연습
5권은 받아올림, 6권은 받아내림의 원리를 아주 쉽게 풀어놓아서 받아올림과 받아내림을 처음 배우는 아이들에게 강추!!

6·7세 단계 구성과 특징

수를 세면서 덧셈, 뺄셈을 이해하고 다양한 문제로 연습합니다. 1, 2, 3권은 1에서 10까지의 수, 4, 5, 6권은 1에서 20까지의 수를 다룹니다. 생활 속 친숙한 소재와 흥미 있는 연산 퍼즐을 통해 재미있게 공부하도록 했습니다.

원리

수의 순서, 개수를 더하여 세기, 뛰어 세기로 나누어 생활 속 소재와 구체물을 통해 원리를 쉽게 이해하고 재미있게 공부할 수 있도록 하였습니다.

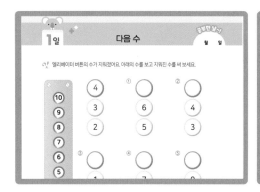 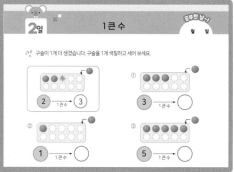

연습

학습 순서는 원리를 생각하며 연습할 수 있도록 배치하였고, 이해를 도울 수 있는 그림과 함께 연습한 후, 숫자와 기호로 된 문제도 꾸준히 반복할 수 있도록 하였습니다.

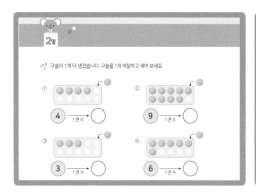 

사고력 연산

수학은 규칙의 학문입니다. 사고력 연산의 시작은 새로운 규칙을 이해하고 적용하는 것으로부터 시작합니다.
연산의 개념을 기본으로 사고를 확장할 수 있도록 하였습니다.

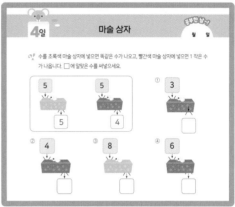

도전! 계산왕

주제가 구분되는 두 개의 단원은 정확성과 빠른 계
산을 위한 집중 연습으로 주제를 마무리 합니다.

성취도 평가

개념의 이해와 연산의 수행에 부족한 부분은 없는
지 성취도 평가를 통해 확인합니다.

원리셈 100% 활용하기

✅ 책의 사이사이에 학생의 학습을 돕기 위한 저자의 내용을 잘 이용하세요.

📖 단원의 학습 내용과 방향

한 주차가 시작되는 쪽의 아래에 그 단원의 학습 내용과 어떤 방향으로 공부하는지를 설명해 놓았습니다. 학부모님이나 학생이 단원을 시작하기 전에 가볍게 읽어 보고 공부하도록 해 주세요.

📚 이해를 돕는 저자의 동영상 강의

공부를 시작하기 전에 표지의 QR코드를 확인하세요. 책의 학습 흐름과 목표, 그리고 그동안 원리셈을 먼저 공부한 아이들이 겪은 어려움에 대한 대처 방안 등을 설명해 줍니다.

학습 동영상

📓 학습 Tip　간략한 도움글은 각 쪽의 아래에 있습니다.

✏️ 천종현수학연구소 네이버 카페와 홈페이지를 활용하세요.

카페와 홈페이지에는 추가 문제 자료가 있고, 연산 외에서 수학 학습에 어려움을 상담 받을 수 있습니다.

네이버에서 천종현수학연구소를 검색하세요.

1뛴수

1일 다음 수   10

2일 1큰수   13

3일 1뛴수   16

4일 마술 모자   19

5일 수 퍼즐   22

1에서 10까지의 수의 순서를 알고, 다음 수를 구하는 것이 학습 목표입니다.
생활 속 소재로 덧셈의 원리를 이해합니다.

월 일

엘리베이터 버튼의 수가 지워졌어요. 아래의 수를 보고 지워진 수를 써넣으세요.

10
9
8
7
6
5
4
3
2
1

	4
	3
	2

① ( )
6
5

② ( )
4
3

③ ( )
1

④ ( )
7
6

⑤ ( )
9
8

⑥ ( )
8
7

⑦ ( )
5
4

⑧ ( )
2
1

엘리베이터 버튼의 수가 지워졌어요. 아래의 수를 보고 지워진 수를 써넣으세요.

① ( )　8　7

② ( )　2　1

③ ( )　9　8

④ ( )　3　2

⑤ ( )　9　8

⑥ ( )　6　5

⑦ ( )　4　3

⑧ ( )　5　4

⑨ ( )　7　6

⑩ ( )　1

⑪ ( )　6　5

⑫ ( )　3　2

수를 보고 다음 수를 써넣으세요.

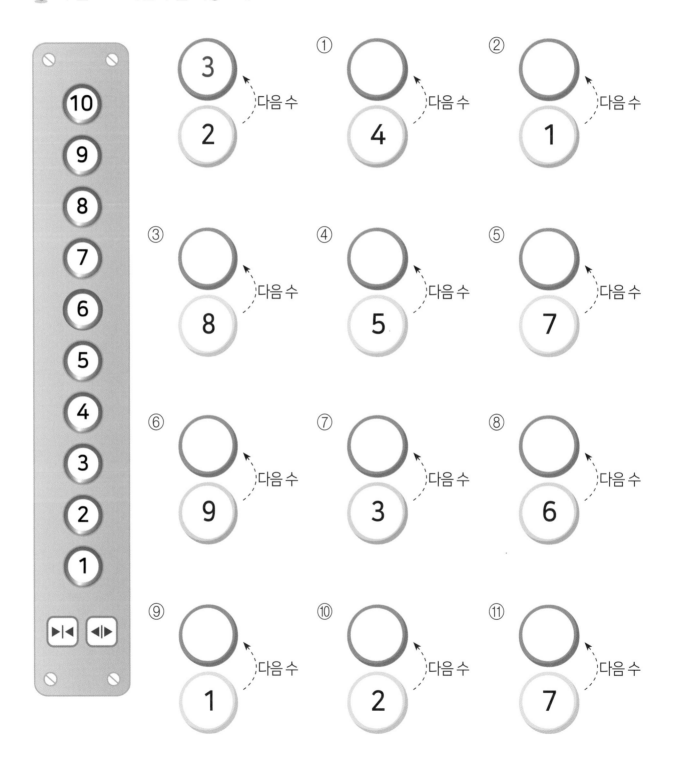

		다음 수
3	①	②
2	**4**	**1**

③ 다음 수 **8**　④ 다음 수 **5**　⑤ 다음 수 **7**

⑥ 다음 수 **9**　⑦ 다음 수 **3**　⑧ 다음 수 **6**

⑨ 다음 수 **1**　⑩ 다음 수 **2**　⑪ 다음 수 **7**

1큰수

🎯 구슬이 1개 더 생겼습니다. 구슬을 1개 색칠하고 세어 보세요.

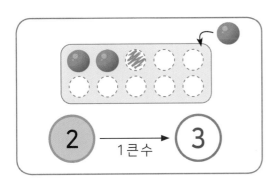

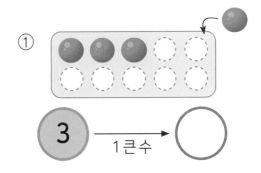
①

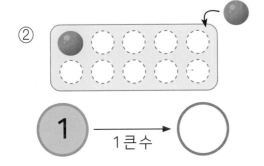
②

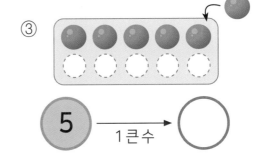
③

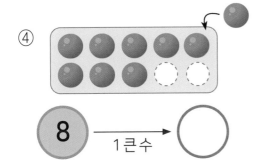
④

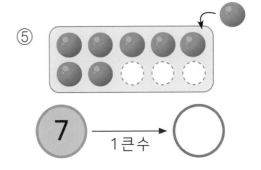
⑤

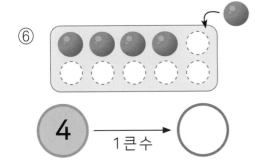
⑥

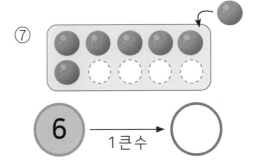
⑦

구슬이 1개 더 생겼습니다. 구슬을 1개 색칠하고 세어 보세요.

①

4 ──1큰수──▶ ◯

②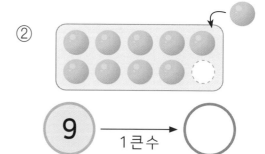

9 ──1큰수──▶ ◯

③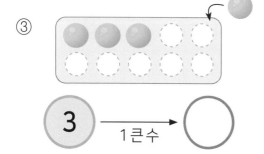

3 ──1큰수──▶ ◯

④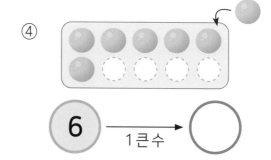

6 ──1큰수──▶ ◯

⑤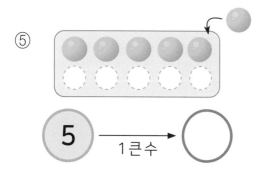

5 ──1큰수──▶ ◯

⑥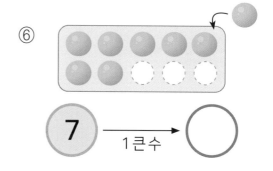

7 ──1큰수──▶ ◯

⑦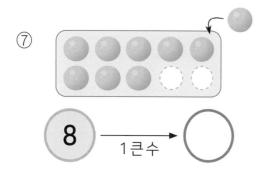

8 ──1큰수──▶ ◯

⑧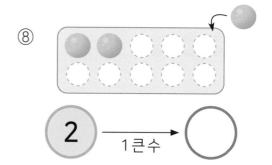

2 ──1큰수──▶ ◯

구슬이 1개 더 생겼습니다. 구슬은 몇 개가 될까요?

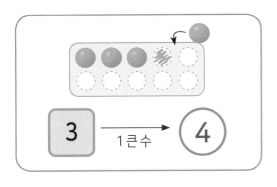

3 →(1큰수) 4

① 6 →(1큰수) ◯

② 5 →(1큰수) ◯

③ 9 →(1큰수) ◯

④ 4 →(1큰수) ◯

⑤ 7 →(1큰수) ◯

⑥ 2 →(1큰수) ◯

⑦ 8 →(1큰수) ◯

⑧ 1 →(1큰수) ◯

⑨ 3 →(1큰수) ◯

⑩ 7 →(1큰수) ◯

⑪ 5 →(1큰수) ◯

💡 1 뛴 수를 써넣으세요.

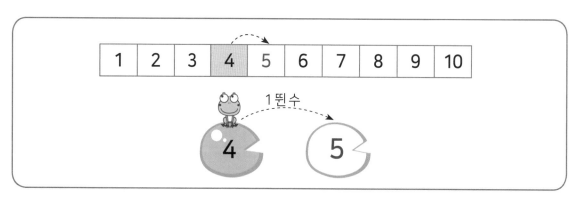

①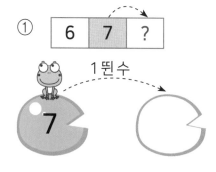

②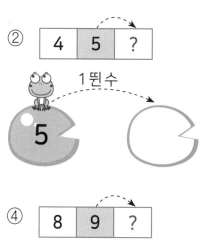

③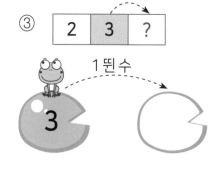

④

⑤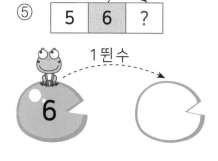

⑥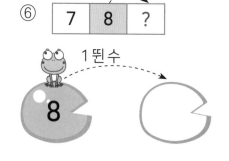

 1 뛴 수를 써넣으세요.

① | 6 | 7 | ? |

1 뛴 수

② | 8 | 9 | ? |

1 뛴 수

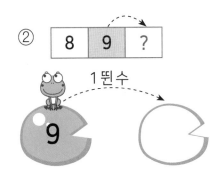

③ | 2 | 3 | ? |

1 뛴 수

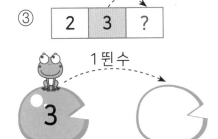

④ | 1 | 2 | ? |

1 뛴 수

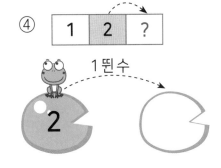

⑤ | 1 | ? |

1 뛴 수

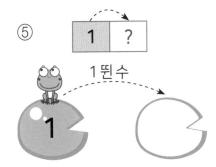

⑥ | 3 | 4 | ? |

1 뛴 수

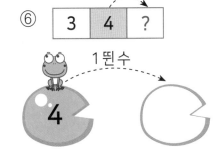

⑦ | 4 | 5 | ? |

1 뛴 수

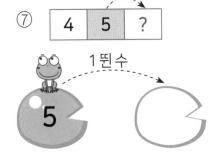

⑧ | 5 | 6 | ? |

1 뛴 수

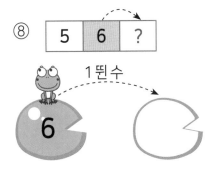

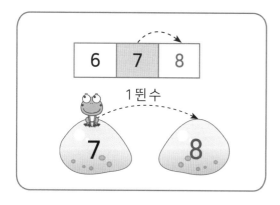 1 뛴 수를 써넣으세요.

①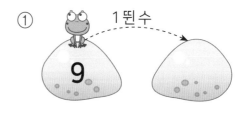

②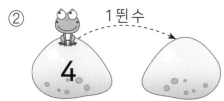

③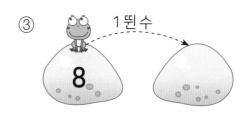

④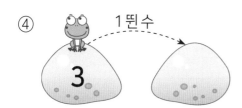

⑤

⑥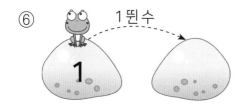

⑦

⑧

⑨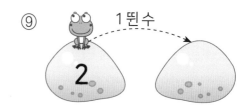

마술 모자

수를 검은색 마술 모자에 넣으면 똑같은 수가 나오고, 파란색 마술 모자에 넣으면 1 큰 수가 나옵니다. ☐ 에 알맞은 수를 써넣으세요.

①

②

③

④

⑤

⑥

Tip

새로운 규칙을 이해하고 적용하는 사고력 연산 문제입니다. 아이가 많이 어려워하면 같은 규칙의 문제를 찾아서 한꺼번에 해결하도록 하세요.

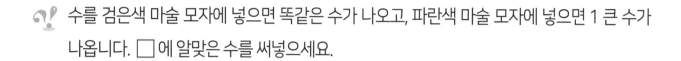

수를 검은색 마술 모자에 넣으면 똑같은 수가 나오고, 파란색 마술 모자에 넣으면 1 큰 수가 나옵니다. □에 알맞은 수를 써넣으세요.

①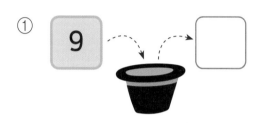

②

③

④

⑤

⑥

⑦

⑧

⑨

⑩

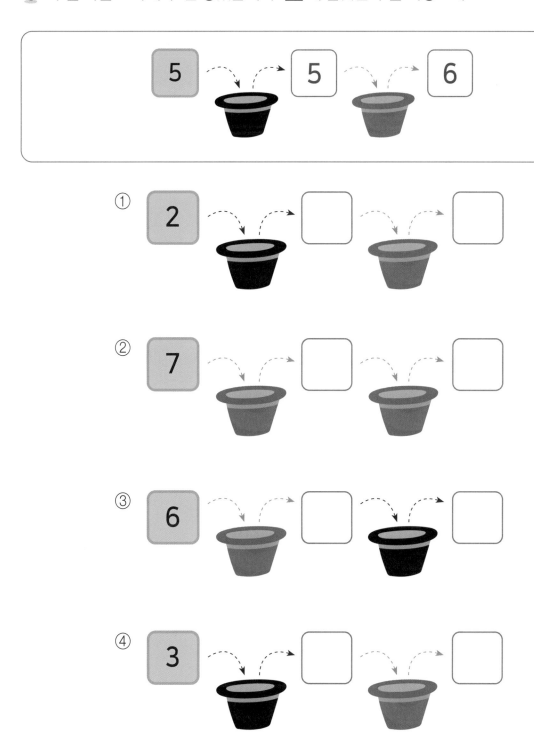

수를 마술 모자에 두 번 넣었습니다. □에 알맞은 수를 써넣으세요.

5 → 5 → 6

① 2 → □ → □

② 7 → □ → □

③ 6 → □ → □

④ 3 → □ → □

🐨 ◯안의 수보다 1 큰 수에 ◯표 하세요.

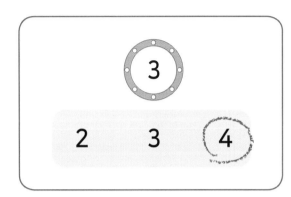

①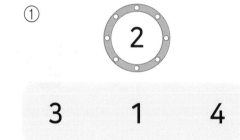

②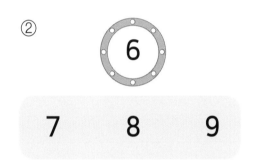

③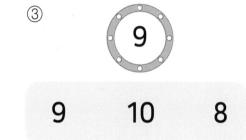

④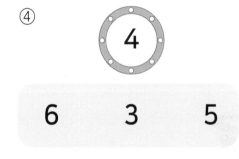

⑤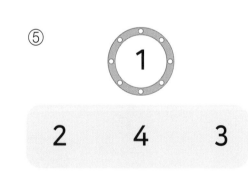

⑥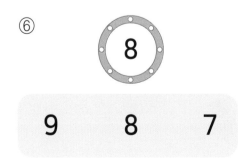

⑦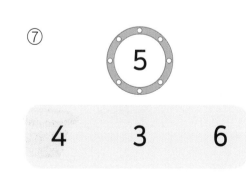

아이들의 수보다 1 큰 수의 풍선에 선을 이어 보세요.

 1씩 커지는 수를 따라 10까지 가는 길을 그려 보세요.

 길을 따라가면 보석을 몇 개 얻을 수 있나요?  [ ] 개

더하기 1

1일	덧셈식	26
2일	1 큰 수와 더하기 1	29
3일	1 뛴 수와 더하기 1	32
4일	바꾸어 더하기	35
5일	연산 퍼즐	38

앞서 생활 속 소재로 연습한 덧셈을 수와 기호로 공부합니다.

손가락을 1개 더 펼쳤습니다. 덧셈식으로 나타내어 보세요.

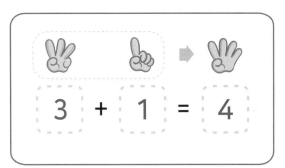

3 + 1 = 4

①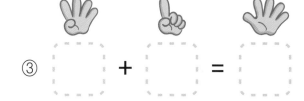

    □ + □ = □

②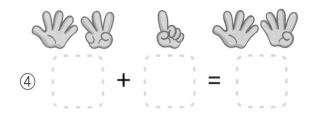

    □ + □ = □

③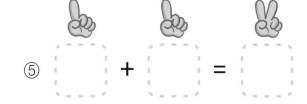

    □ + □ = □

④ □ + □ = □

⑤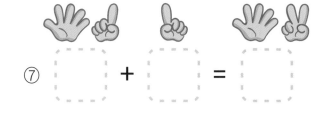

    □ + □ = □

⑥ □ + □ = □

⑦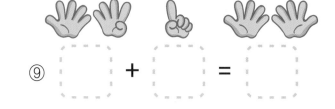

    □ + □ = □

⑧ □ + □ = □

⑨ □ + □ = □

구슬이 1개 더 생겼습니다. 덧셈식으로 나타내어 보세요.

$$4 + 1 = 5$$

①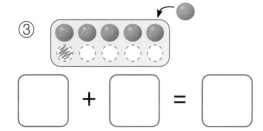

[ ] + [ ] = [ ]

②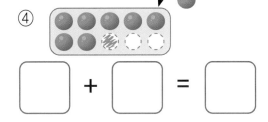

[ ] + [ ] = [ ]

③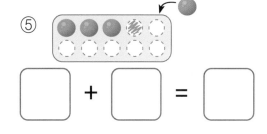

[ ] + [ ] = [ ]

④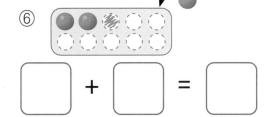

[ ] + [ ] = [ ]

⑤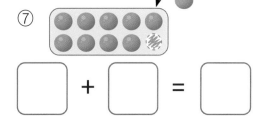

[ ] + [ ] = [ ]

⑥

[ ] + [ ] = [ ]

⑦

[ ] + [ ] = [ ]

⑧

[ ] + [ ] = [ ]

⑨

[ ] + [ ] = [ ]

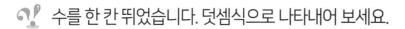

수를 한 칸 뛰었습니다. 덧셈식으로 나타내어 보세요.

1 뛴 수

| 6 | 7 | 8 |

$$7 + 1 = 8$$

① 1 뛴 수

| 4 | 5 | 6 |

$$\boxed{} + \boxed{} = \boxed{}$$

② 1 뛴 수

| 7 | 8 | 9 |

$$\boxed{} + \boxed{} = \boxed{}$$

③ 1 뛴 수

| 1 | 2 | 3 |

$$\boxed{} + \boxed{} = \boxed{}$$

④ 1 뛴 수

| 1 | 2 |

$$\boxed{} + \boxed{} = \boxed{}$$

⑤ 1 뛴 수

| 6 | 7 | 8 |

$$\boxed{} + \boxed{} = \boxed{}$$

⑥ 1 뛴 수

| 2 | 3 | 4 |

$$\boxed{} + \boxed{} = \boxed{}$$

⑦ 1 뛴 수

| 8 | 9 | 10 |

$$\boxed{} + \boxed{} = \boxed{}$$

⑧ 1 뛴 수

| 5 | 6 | 7 |

$$\boxed{} + \boxed{} = \boxed{}$$

⑨ 1 뛴 수

| 3 | 4 | 5 |

$$\boxed{} + \boxed{} = \boxed{}$$

❓ □에 알맞은 수를 써넣으세요.

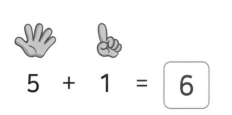

5 + 1 = 6

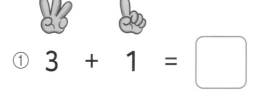

① 3 + 1 = ☐

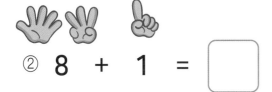

② 8 + 1 = ☐

③ 6 + 1 = ☐

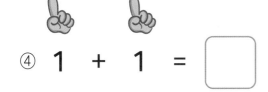

④ 1 + 1 = ☐

⑤ 9 + 1 = ☐

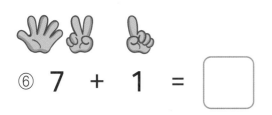

⑥ 7 + 1 = ☐

⑦ 5 + 1 = ☐

⑧ 2 + 1 = ☐

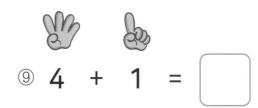

⑨ 4 + 1 = ☐

🐨 □에 알맞은 수를 써넣으세요.

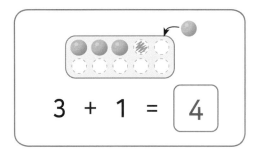

3 + 1 = 4

①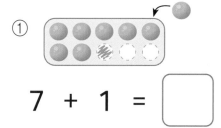

7 + 1 =

②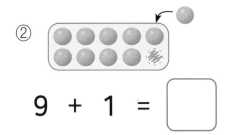

9 + 1 =

③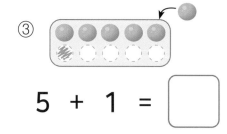

5 + 1 =

④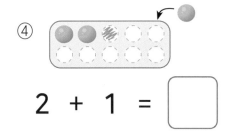

2 + 1 =

⑤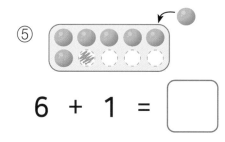

6 + 1 =

⑥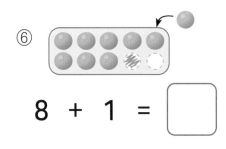

8 + 1 =

⑦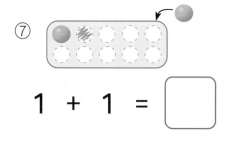

1 + 1 =

⑧

4 + 1 =

⑨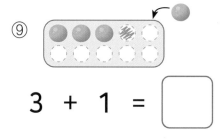

3 + 1 =

□에 알맞은 수를 써넣으세요.

① 3 + 1 = ☐

② 4 + 1 = ☐

③ 6 + 1 = ☐

④ 8 + 1 = ☐

⑤ 1 + 1 = ☐

⑥ 7 + 1 = ☐

⑦ 2 + 1 = ☐

⑧ 9 + 1 = ☐

⑨ 5 + 1 = ☐

⑩ 6 + 1 = ☐

⑪ 4 + 1 = ☐

⑫ 8 + 1 = ☐

⑬ 7 + 1 = ☐

⑭ 3 + 1 = ☐

1 뛴 수와 더하기 1

🖊 □에 알맞은 수를 써넣으세요.

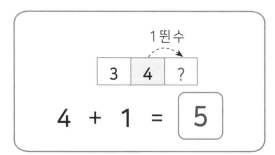

1 뛴 수

3 4 ?

4 + 1 = 5

① 1 뛴 수

4 5 ?

5 + 1 = □

② 1 뛴 수

6 7 ?

7 + 1 = □

③ 1 뛴 수

3 4 ?

4 + 1 = □

④ 1 뛴 수

1 2 ?

2 + 1 = □

⑤ 1 뛴 수

8 9 ?

9 + 1 = □

⑥ 1 뛴 수

7 8 ?

8 + 1 = □

⑦ 1 뛴 수

1 ?

1 + 1 = □

⑧ 1 뛴 수

5 6 ?

6 + 1 = □

⑨ 1 뛴 수

2 3 ?

3 + 1 = □

🐛 □에 알맞은 수를 써넣으세요.

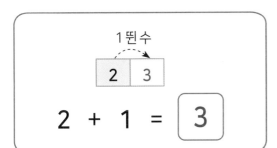

1 뛴 수

2 → 3

2 + 1 = 3

① 1 뛴 수

1 → ?

1 + 1 = □

② 1 뛴 수

5 → ?

5 + 1 = □

③ 1 뛴 수

8 → ?

8 + 1 = □

④ 1 뛴 수

4 → ?

4 + 1 = □

⑤ 1 뛴 수

9 → ?

9 + 1 = □

⑥ 1 뛴 수

3 → ?

3 + 1 = □

⑦ 1 뛴 수

7 → ?

7 + 1 = □

⑧ 1 뛴 수

2 → ?

2 + 1 = □

⑨ 1 뛴 수

6 → ?

6 + 1 = □

☝️ □에 알맞은 수를 써넣으세요.

① 4 + 1 = □ ② 2 + 1 = □

③ 7 + 1 = □ ④ 1 + 1 = □

⑤ 5 + 1 = □ ⑥ 8 + 1 = □

⑦ 9 + 1 = □ ⑧ 4 + 1 = □

⑨ 3 + 1 = □ ⑩ 6 + 1 = □

⑪ 8 + 1 = □ ⑫ 2 + 1 = □

⑬ 9 + 1 = □ ⑭ 7 + 1 = □

바꾸어 더하기

 □에 알맞은 수를 써넣으세요.

3 + 1 = ⬚ 4

1 + 3 = ⬚ 4

① 5 + 1 = ⬚

② 1 + 5 = ⬚

③ 2 + 1 = ⬚

④ 1 + 2 = ⬚

⑤ 8 + 1 = ⬚

⑥ 1 + 8 = ⬚

 □에 알맞은 수를 써넣으세요.

① 6 + 1 = ☐

② 1 + 6 = ☐

③ 9 + 1 = ☐

④ 1 + 9 = ☐

⑤ 4 + 1 = ☐

⑥ 1 + 4 = ☐

⑦ 7 + 1 = ☐

⑧ 1 + 7 = ☐

□에 알맞은 수를 써넣으세요.

① 2 + 1 = ☐

② 1 + 2 = ☐

③ 5 + 1 = ☐

④ 1 + 5 = ☐

⑤ 9 + 1 = ☐

⑥ 1 + 9 = ☐

⑦ 6 + 1 = ☐

⑧ 1 + 6 = ☐

⑨ 3 + 1 = ☐

⑩ 1 + 3 = ☐

⑪ 7 + 1 = ☐

⑫ 1 + 7 = ☐

⑬ 8 + 1 = ☐

⑭ 1 + 8 = ☐

⑮ 4 + 1 = ☐

⑯ 1 + 4 = ☐

계산 결과에 알맞게 선을 이어 보세요.

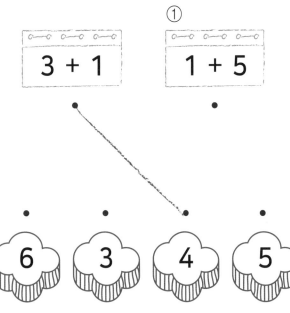

② ③

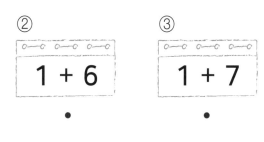

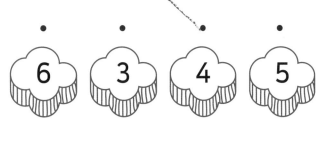

④ ⑤

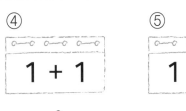 

⑥ ⑦

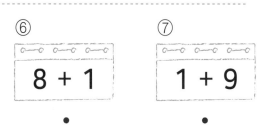

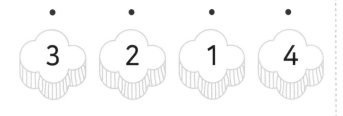

계산 결과에 알맞게 길을 그려 보세요.

과녁의 화살을 보고 빈칸에 점수를 써넣으세요.

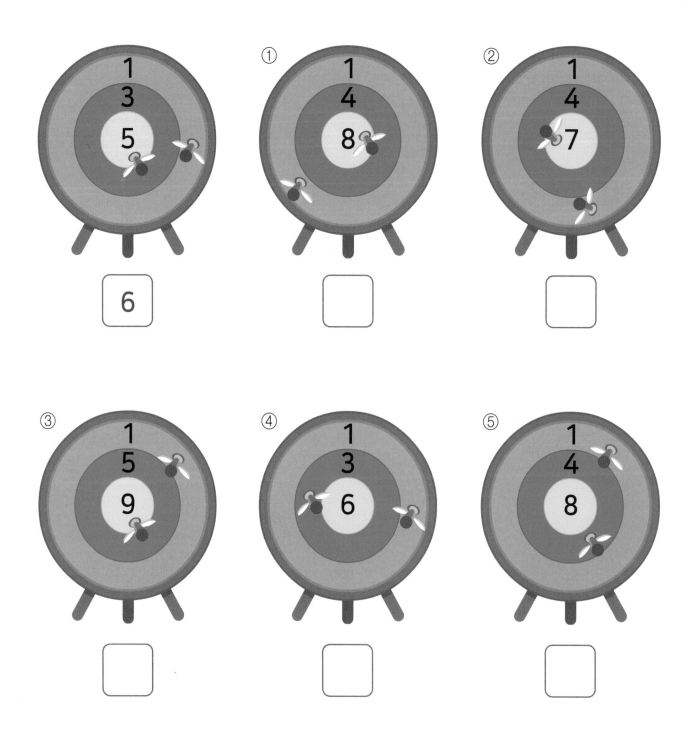

도전! 계산왕

1일	1뛴수 / 더하기1	42
2일	1뛴수 / 더하기1	44
3일	1뛴수 / 더하기1	46
4일	1뛴수 / 더하기1	48
5일	1뛴수 / 더하기1	50

1뛴 수 / 더하기1

엘리베이터 버튼의 수가 지워졌어요. 아래의 수를 보고 지워진 수를 써넣으세요.

버튼: 10 9 8 7 6 5 4 3 2 1

① ◯ / 3 / 2

② ◯ / 8 / 7

③ ◯ / 4

④ ◯ / 6 / 5

⑤ ◯ / 2 / 1

⑥ ◯ / 9

⑦ ◯ / 1

⑧ ◯ / 7 / 6

⑨ ◯ / 5 / 4

1뛴 수 / 더하기 1

□에 알맞은 수를 써넣으세요.

① $4 + 1 = \boxed{}$　　② $7 + 1 = \boxed{}$

③ $1 + 1 = \boxed{}$　　④ $5 + 1 = \boxed{}$

⑤ $8 + 1 = \boxed{}$　　⑥ $2 + 1 = \boxed{}$

⑦ $6 + 1 = \boxed{}$　　⑧ $7 + 1 = \boxed{}$

⑨ $4 + 1 = \boxed{}$　　⑩ $9 + 1 = \boxed{}$

⑪ $3 + 1 = \boxed{}$　　⑫ $1 + 1 = \boxed{}$

⑬ $8 + 1 = \boxed{}$　　⑭ $5 + 1 = \boxed{}$

1뛴 수 / 더하기 1

🐌 수를 보고 다음 수를 써넣으세요.

①

②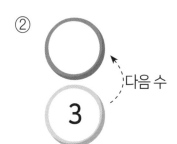

③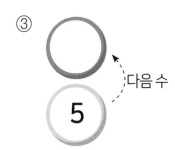

④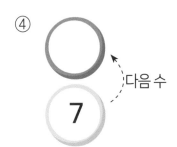

⑤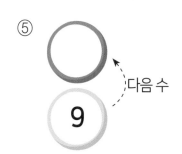

⑥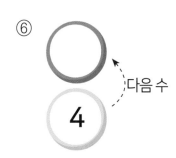

⑦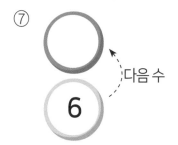

⑧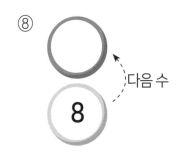

⑨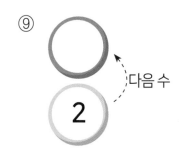

⑩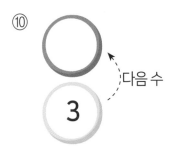

⑪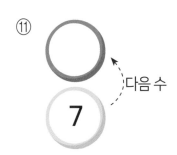

⑫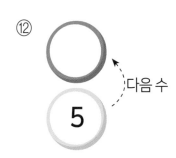

1띈 수 / 더하기 1

🐌 □에 알맞은 수를 써넣으세요.

① 5 + 1 = □　　② 2 + 1 = □

③ 3 + 1 = □　　④ 1 + 1 = □

⑤ 7 + 1 = □　　⑥ 8 + 1 = □

⑦ 9 + 1 = □　　⑧ 1 + 1 = □

⑨ 4 + 1 = □　　⑩ 2 + 1 = □

⑪ 1 + 1 = □　　⑫ 5 + 1 = □

⑬ 8 + 1 = □　　⑭ 7 + 1 = □

1뜬 수 / 더하기1

구슬이 1개 더 생겼습니다. 구슬은 몇 개가 될까요?

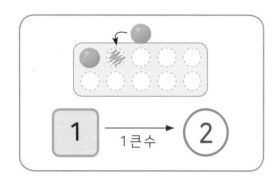

1 —1큰수→ 2

① 4 —1큰수→ ◯

② 7 —1큰수→ ◯

③ 2 —1큰수→ ◯

④ 5 —1큰수→ ◯

⑤ 8 —1큰수→ ◯

⑥ 1 —1큰수→ ◯

⑦ 3 —1큰수→ ◯

⑧ 6 —1큰수→ ◯

⑨ 9 —1큰수→ ◯

⑩ 2 —1큰수→ ◯

⑪ 4 —1큰수→ ◯

1뛴 수 / 더하기1

🐌 □에 알맞은 수를 써넣으세요.

① $3 + 1 = \square$　　　② $5 + 1 = \square$

③ $7 + 1 = \square$　　　④ $9 + 1 = \square$

⑤ $1 + 1 = \square$　　　⑥ $3 + 1 = \square$

⑦ $6 + 1 = \square$　　　⑧ $8 + 1 = \square$

⑨ $5 + 1 = \square$　　　⑩ $2 + 1 = \square$

⑪ $9 + 1 = \square$　　　⑫ $4 + 1 = \square$

⑬ $6 + 1 = \square$　　　⑭ $7 + 1 = \square$

4일 ❶

1뛴 수 / 더하기 1

🔍 □에 알맞은 수를 써넣으세요.

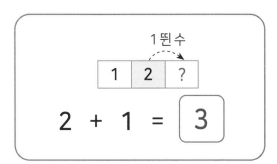

1 뛴 수

1 | 2 | ?

2 + 1 = 3

① 1 뛴 수

5 | 6 | ?

6 + 1 =

② 1 뛴 수

8 | 9 | ?

9 + 1 =

③ 1 뛴 수

2 | 3 | ?

3 + 1 =

④ 1 뛴 수

6 | 7 | ?

7 + 1 =

⑤ 1 뛴 수

3 | 4 | ?

4 + 1 =

⑥ 1 뛴 수

4 | 5 | ?

5 + 1 =

⑦ 1 뛴 수

2 | ?

2 + 1 =

⑧ 1 뛴 수

7 | 8 | ?

8 + 1 =

⑨ 1 뛴 수

8 | 9 | ?

9 + 1 =

1뛴 수 / 더하기 1

□에 알맞은 수를 써넣으세요.

① $7 + 1 =$ ☐

② $2 + 1 =$ ☐

③ $4 + 1 =$ ☐

④ $8 + 1 =$ ☐

⑤ $9 + 1 =$ ☐

⑥ $1 + 1 =$ ☐

⑦ $3 + 1 =$ ☐

⑧ $5 + 1 =$ ☐

⑨ $6 + 1 =$ ☐

⑩ $9 + 1 =$ ☐

⑪ $7 + 1 =$ ☐

⑫ $8 + 1 =$ ☐

⑬ $2 + 1 =$ ☐

⑭ $4 + 1 =$ ☐

1뛴 수 / 더하기1

□에 알맞은 수를 써넣으세요.

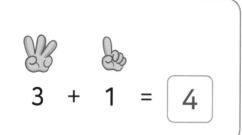

$$3 + 1 = 4$$

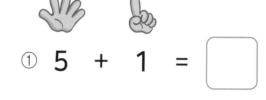

① $5 + 1 =$ □

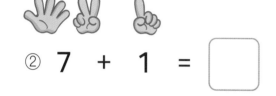

② $7 + 1 =$ □

③ $1 + 1 =$ □

④ $6 + 1 =$ □

⑤ $9 + 1 =$ □

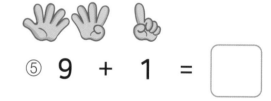

⑥ $8 + 1 =$ □

⑦ $3 + 1 =$ □

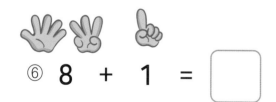

⑧ $4 + 1 =$ □

⑨ $2 + 1 =$ □

1뛴 수 / 더하기1

 □에 알맞은 수를 써넣으세요.

① 3 + 1 = □

② 7 + 1 = □

③ 8 + 1 = □

④ 1 + 1 = □

⑤ 4 + 1 = □

⑥ 5 + 1 = □

⑦ 2 + 1 = □

⑧ 6 + 1 = □

⑨ 9 + 1 = □

⑩ 8 + 1 = □

⑪ 7 + 1 = □

⑫ 3 + 1 = □

⑬ 2 + 1 = □

⑭ 5 + 1 = □

4 주차

거꾸로 1뛴 수

1일	이전 수	54
2일	1작은 수	57
3일	거꾸로 1뛴 수	60
4일	마술 상자	63
5일	수 퍼즐	66

수를 거꾸로 세어 이전 수를 구하는 것이 학습 목표입니다. 생활 속 소재로 뺄셈의 원리를 이해합니다.

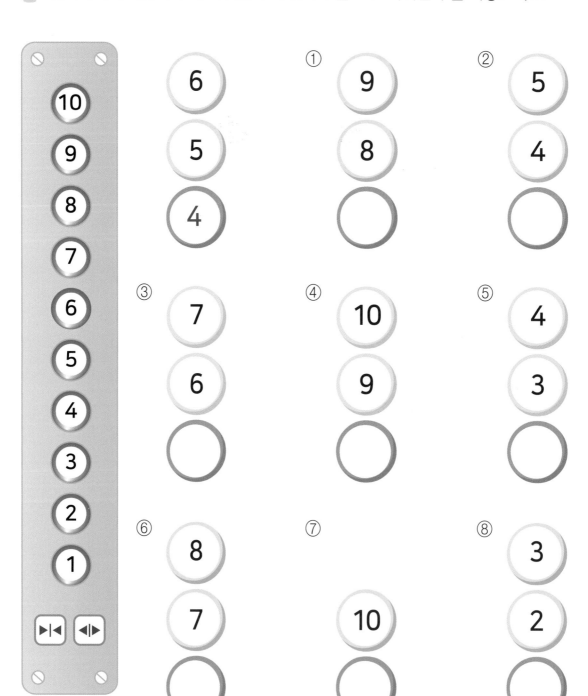

엘리베이터 버튼의 수가 지워졌어요. 위의 수를 보고 지워진 수를 써넣으세요.

엘리베이터 버튼의 수가 지워졌어요. 위의 수를 보고 지워진 수를 써넣으세요.

① 10
9
◯

② 6
5
◯

③ 8
7
◯

④ 7
6
◯

⑤ 9
8
◯

⑥ 10
◯

⑦ 5
4
◯

⑧ 6
5
◯

⑨ 3
2
◯

⑩ 8
7
◯

⑪ 7
6
◯

⑫ 4
3
◯

수를 보고 이전 수를 써넣으세요.

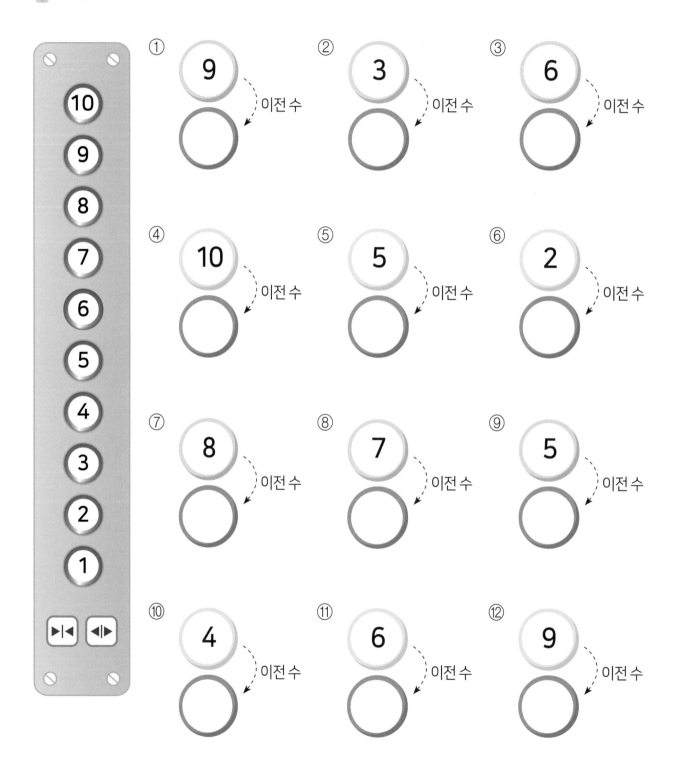

① 9 이전 수

② 3 이전 수

③ 6 이전 수

④ 10 이전 수

⑤ 5 이전 수

⑥ 2 이전 수

⑦ 8 이전 수

⑧ 7 이전 수

⑨ 5 이전 수

⑩ 4 이전 수

⑪ 6 이전 수

⑫ 9 이전 수

1 작은 수

🐨 동생에게 구슬 1개를 주었습니다. 구슬을 1개 지우고 세어 보세요.

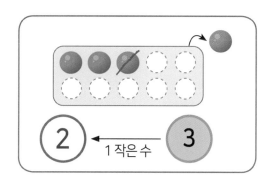

①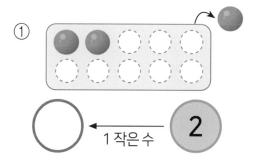

②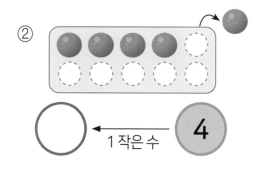

③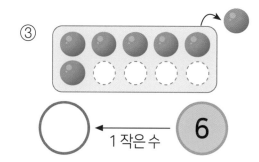

④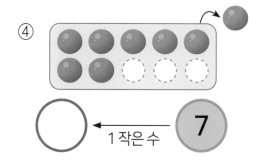

⑤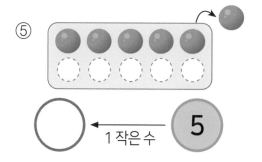

⑥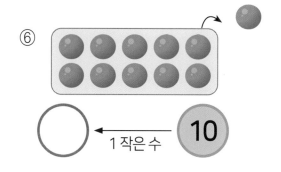

⑦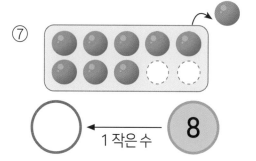

동생에게 구슬 1개를 주었습니다. 구슬을 1개 지우고 세어 보세요.

①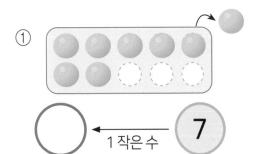

7 → 1 작은 수 → ○

②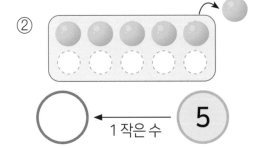

5 → 1 작은 수 → ○

③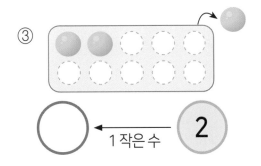

2 → 1 작은 수 → ○

④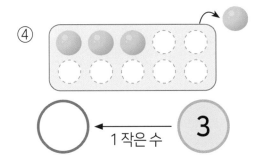

3 → 1 작은 수 → ○

⑤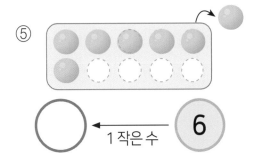

6 → 1 작은 수 → ○

⑥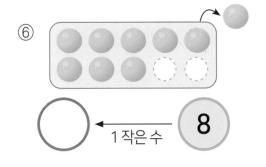

8 → 1 작은 수 → ○

⑦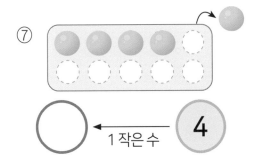

4 → 1 작은 수 → ○

⑧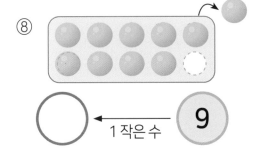

9 → 1 작은 수 → ○

동생에게 구슬 1개를 주었습니다. 구슬은 몇 개가 될까요?

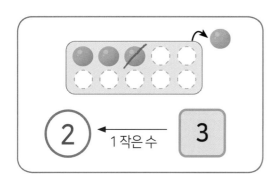

② ( ) ← 1 작은 수 4

① ( ) ← 1 작은 수 9

③ ( ) ← 1 작은 수 7

④ ( ) ← 1 작은 수 5

⑤ ( ) ← 1 작은 수 6

⑥ ( ) ← 1 작은 수 10

⑦ ( ) ← 1 작은 수 2

⑧ ( ) ← 1 작은 수 8

⑨ ( ) ← 1 작은 수 3

⑩ ( ) ← 1 작은 수 9

⑪ ( ) ← 1 작은 수 7

거꾸로 1 뛴 수

🖊 거꾸로 1 뛴 수를 써넣으세요.

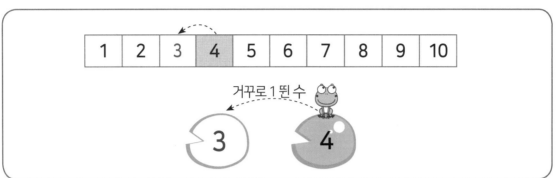

①

②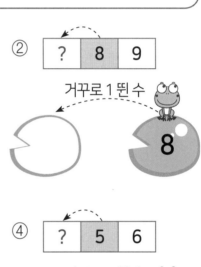

③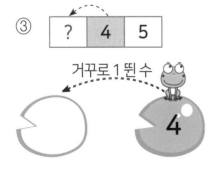

④

⑤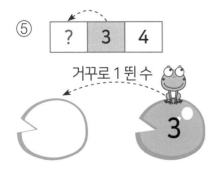

⑥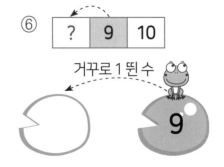

거꾸로 1 뛴 수를 써넣으세요.

①

거꾸로 1 뛴 수
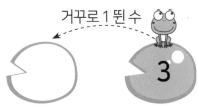

②

③

거꾸로 1 뛴 수
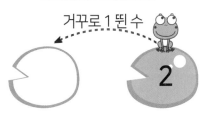

④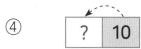

거꾸로 1 뛴 수
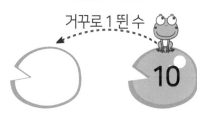

⑤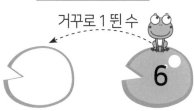

⑥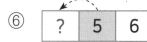

거꾸로 1 뛴 수

⑦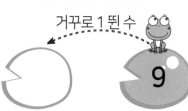

⑧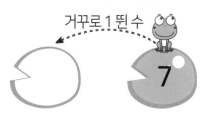

거꾸로 1 뛴 수를 써넣으세요.

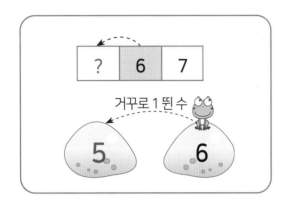

①

②

③

④

⑤

⑥

⑦

⑧

⑨

마술 상자

💡 수를 초록색 마술 상자에 넣으면 똑같은 수가 나오고, 빨간색 마술 상자에 넣으면 1 작은 수가 나옵니다. □ 에 알맞은 수를 써넣으세요.

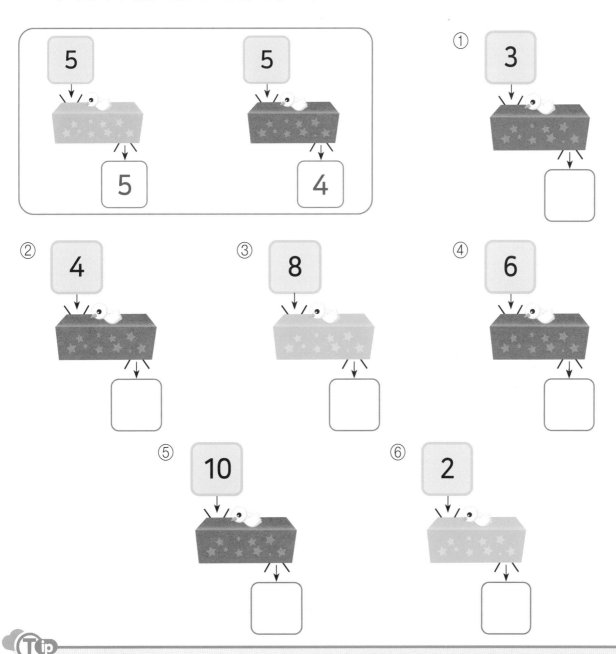

Tip 새로운 규칙을 이해하고 적용하는 사고력 연산 문제입니다. 아이가 많이 어려워하면 같은 규칙의 문제를 찾아서 한 꺼번에 해결하도록 하세요.

수를 초록색 마술 상자에 넣으면 똑같은 수가 나오고, 빨간색 마술 상자에 넣으면 1 작은 수가 나옵니다. ☐ 에 알맞은 수를 써넣으세요.

①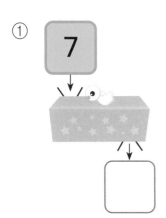

②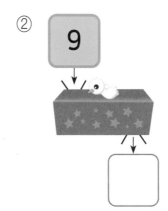

③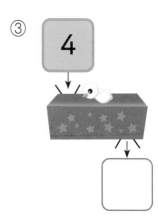

④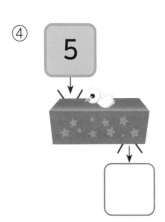

⑤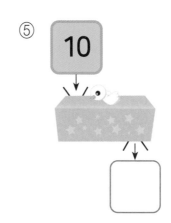

⑥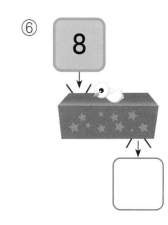

⑦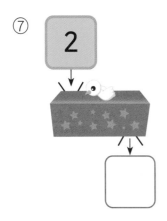

⑧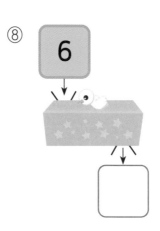

수를 마술 상자에 두 번 넣었습니다. ☐에 알맞은 수를 써넣으세요.

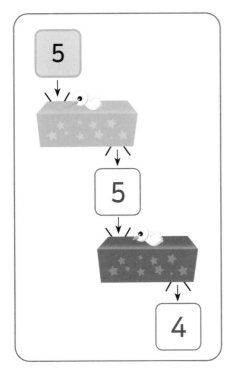

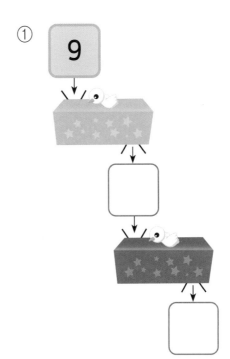

① 9

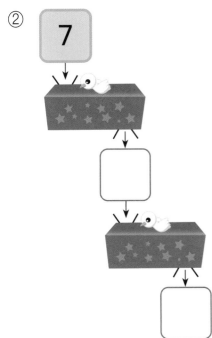

② 7

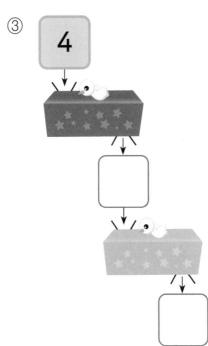

③ 4

수 퍼즐

◯ ◯안의 수보다 1 작은 수에는 ◯표를, 1 큰 수에는 △표를 하세요.

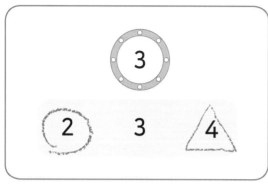

③

② 3 △4

⑤

5 4 6

⑦

8 6 9

④

5 4 3

⑧

7 9 8

②

2 1 3

⑨

7 8 10

⑥

8 7 5

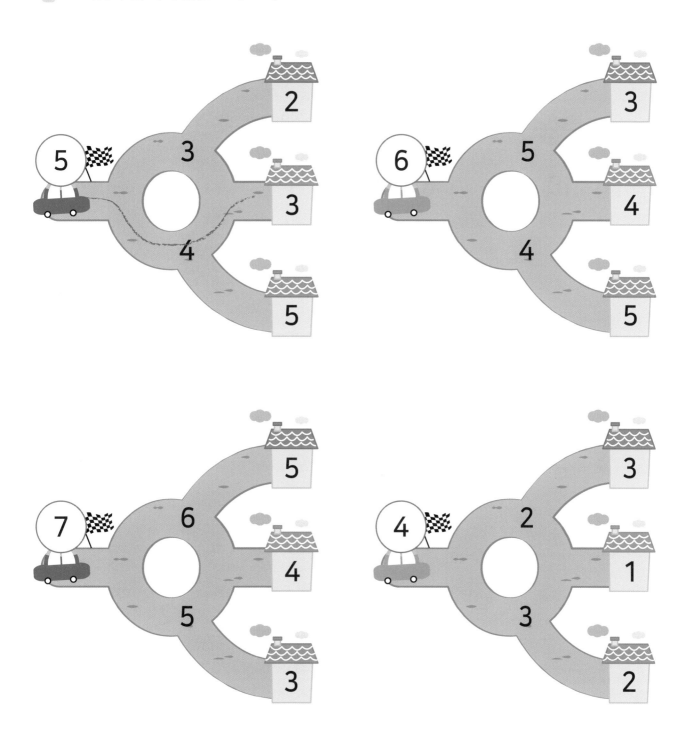

1 작은 수를 따라 길을 그려 보세요.

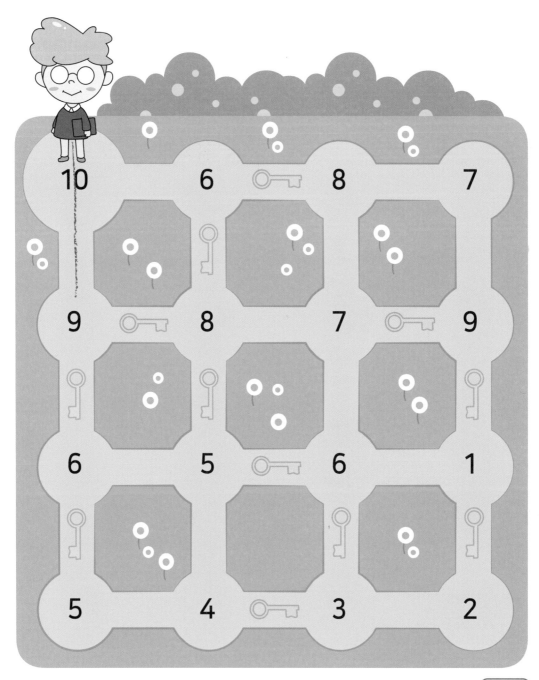

1씩 작아지는 수를 따라 1까지 가는 길을 그려 보세요.

길을 따라가면 황금 열쇠를 몇 개 얻을 수 있나요?  ☐ 개

빼기 1

1일	뺄셈식	70
2일	1 작은 수와 빼기1	73
3일	거꾸로 1뛴 수와 빼기1	76
4일	이상한 엘리베이터	79
5일	연산 퍼즐	82

앞서 생활 속 소재로 연습한 뺄셈을 수와 기호로 공부합니다.

손가락을 1개 접었습니다. 빨셈식으로 나타내어 보세요.

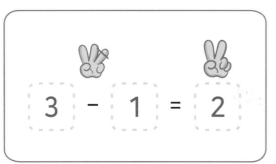

3 - 1 = 2

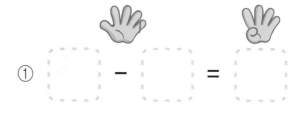

① ☐ - ☐ = ☐

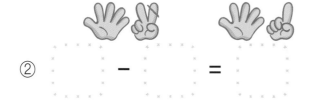

② - =

③ - =

④ - =

⑤ - =

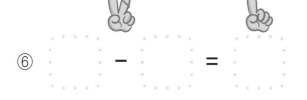

⑥ - =

⑦ - =

⑧ - =

⑨ - =

동생에게 구슬 1개를 주었습니다. 뺄셈식으로 나타내어 보세요.

$4 - 1 = 3$

①

$\boxed{} - \boxed{} = \boxed{}$

②

$\boxed{} - \boxed{} = \boxed{}$

③

$\boxed{} - \boxed{} = \boxed{}$

④

$\boxed{} - \boxed{} = \boxed{}$

⑤

$\boxed{} - \boxed{} = \boxed{}$

⑥

$\boxed{} - \boxed{} = \boxed{}$

⑦

$\boxed{} - \boxed{} = \boxed{}$

⑧

$\boxed{} - \boxed{} = \boxed{}$

⑨

$\boxed{} - \boxed{} = \boxed{}$

수를 거꾸로 한 칸 뛰었습니다. 뺄셈식으로 나타내어 보세요.

거꾸로 1 뛴 수

2 **3** 4

$3 - 1 = 2$

① 거꾸로 1 뛴 수

1 **2** 3

$\boxed{} - \boxed{} = \boxed{}$

② 거꾸로 1 뛴 수

8 **9** 10

$\boxed{} - \boxed{} = \boxed{}$

③ 거꾸로 1 뛴 수

2 **3** 4

$\boxed{} - \boxed{} = \boxed{}$

④ 거꾸로 1 뛴 수

6 **7** 8

$\boxed{} - \boxed{} = \boxed{}$

⑤ 거꾸로 1 뛴 수

5 **6** 7

$\boxed{} - \boxed{} = \boxed{}$

⑥ 거꾸로 1 뛴 수

4 **5** 6

$\boxed{} - \boxed{} = \boxed{}$

⑦ 거꾸로 1 뛴 수

7 **8** 9

$\boxed{} - \boxed{} = \boxed{}$

⑧ 거꾸로 1 뛴 수

3 **4** 5

$\boxed{} - \boxed{} = \boxed{}$

⑨ 거꾸로 1 뛴 수

9 **10**

$\boxed{} - \boxed{} = \boxed{}$

□에 알맞은 수를 써넣으세요.

5 - 1 = 4

① 3 - 1 = □

② 4 - 1 = □

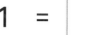
③ 9 - 1 = □

④ 5 - 1 = □

⑤ 7 - 1 = □

⑥ 10 - 1 = □

⑦ 6 - 1 = □

⑧ 8 - 1 = □

⑨ 2 - 1 = □

□에 알맞은 수를 써넣으세요.

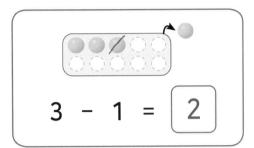

3 − 1 = 2

①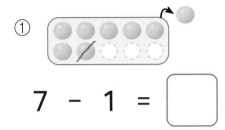

7 − 1 =

②

9 − 1 =

③

6 − 1 =

④

2 − 1 =

⑤

5 − 1 =

⑥

8 − 1 =

⑦

4 − 1 =

⑧

3 − 1 =

⑨

10 − 1 =

□에 알맞은 수를 써넣으세요.

① 5 - 1 = ☐

② 3 - 1 = ☐

③ 6 - 1 = ☐

④ 10 - 1 = ☐

⑤ 4 - 1 = ☐

⑥ 7 - 1 = ☐

⑦ 8 - 1 = ☐

⑧ 9 - 1 = ☐

⑨ 2 - 1 = ☐

⑩ 4 - 1 = ☐

⑪ 6 - 1 = ☐

⑫ 5 - 1 = ☐

⑬ 7 - 1 = ☐

⑭ 8 - 1 = ☐

💡 □에 알맞은 수를 써넣으세요.

거꾸로 1 뛴 수

| ? | 6 | 7 |

6 - 1 = 5

① 거꾸로 1 뛴 수

| ? | 3 | 4 |

3 - 1 = □

② 거꾸로 1 뛴 수

| ? | 2 | 3 |

2 - 1 = □

③ 거꾸로 1 뛴 수

| ? | 4 | 5 |

4 - 1 = □

④ 거꾸로 1 뛴 수

| ? | 10 |

10 - 1 = □

⑤ 거꾸로 1 뛴 수

| ? | 8 | 9 |

8 - 1 = □

⑥ 거꾸로 1 뛴 수

| ? | 5 | 6 |

5 - 1 = □

⑦ 거꾸로 1 뛴 수

| ? | 6 | 7 |

6 - 1 = □

⑧ 거꾸로 1 뛴 수

| ? | 9 | 10 |

9 - 1 = □

⑨ 거꾸로 1 뛴 수

| ? | 7 | 8 |

7 - 1 = □

□에 알맞은 수를 써넣으세요.

거꾸로 1 뛴 수

| 1 | 2 |

2 - 1 = 1

① 거꾸로 1 뛴 수

| ? | 10 |

10 - 1 = ☐

② 거꾸로 1 뛴 수

| ? | 3 |

3 - 1 = ☐

③ 거꾸로 1 뛴 수

| ? | 8 |

8 - 1 = ☐

④ 거꾸로 1 뛴 수

| ? | 7 |

7 - 1 = ☐

⑤ 거꾸로 1 뛴 수

| ? | 4 |

4 - 1 = ☐

⑥ 거꾸로 1 뛴 수

| ? | 5 |

5 - 1 = ☐

⑦ 거꾸로 1 뛴 수

| ? | 9 |

9 - 1 = ☐

⑧ 거꾸로 1 뛴 수

| ? | 2 |

2 - 1 = ☐

⑨ 거꾸로 1 뛴 수

| ? | 6 |

6 - 1 = ☐

□에 알맞은 수를 써넣으세요.

① 7 - 1 = ☐

② 2 - 1 = ☐

③ 4 - 1 = ☐

④ 8 - 1 = ☐

⑤ 6 - 1 = ☐

⑥ 9 - 1 = ☐

⑦ 10 - 1 = ☐

⑧ 4 - 1 = ☐

⑨ 3 - 1 = ☐

⑩ 5 - 1 = ☐

⑪ 8 - 1 = ☐

⑫ 7 - 1 = ☐

⑬ 9 - 1 = ☐

⑭ 3 - 1 = ☐

이상한 엘리베이터

엘리베이터의 버튼이 ⬆와 ⬇만 있습니다. ⬆는 한 층을 올라가고, ⬇는 한 층을 내려 갑니다. 엘리베이터가 몇 층에 있는지 ◯ 안에 써넣으세요.

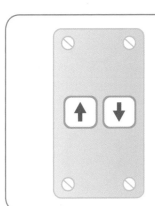 ⬆ +1   ⬇ −1

3 ⬆ 4   3 ⬇ 2

① 6 ⬆ ◯

② 1 ⬆ ◯

③ 4 ⬇ ◯

④ 8 ⬆ ◯

⑤ 2 ⬆ ◯

⑥ 3 ⬇ ◯

⑦ 7 ⬇ ◯

⑧ 9 ⬆ ◯

엘리베이터가 몇 층에 있는지 ◯안에 써넣으세요.

① 7 ⬆ ◯

② 10 ⬇ ◯

③ 5 ⬇ ◯

④ 2 ⬇ ◯

⑤ 9 ⬇ ◯

⑥ 7 ⬇ ◯

⑦ 6 ⬇ ◯

⑧ 3 ⬆ ◯

⑨ 8 ⬇ ◯

⑩ 9 ⬆ ◯

⑪ 4 ⬆ ◯

⑫ 5 ⬆ ◯

엘리베이터가 몇 층에 있는지 ◯ 안에 써넣으세요.

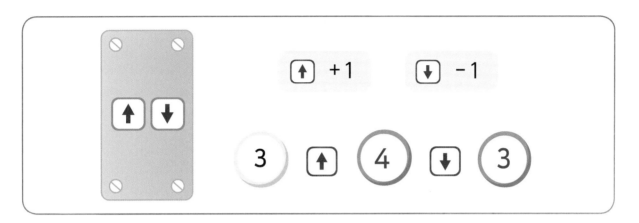

① 9 [↓] ◯ [↓] ◯

② 6 [↓] ◯ [↑] ◯

③ 10 [↓] ◯ [↓] ◯

④ 5 [↑] ◯ [↑] ◯

 화살과 과녁을 알맞게 선으로 이어 보세요.

$3 - 1$ •

• 6

$9 - 1$ •

• 8

$4 - 1$ •

• 2

$7 - 1$ •

• 9

$10 - 1$ •

• 5

$6 - 1$ •

• 3

계산 결과에 알맞게 길을 그려 보세요.

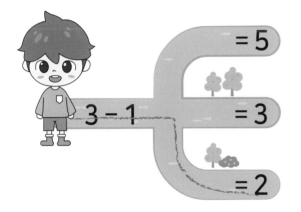

3 - 1
= 5
= 3
= 2

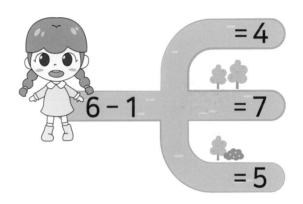

6 - 1
= 4
= 7
= 5

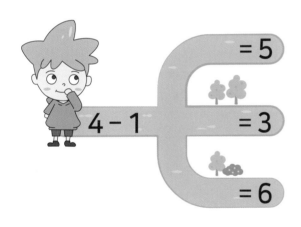

4 - 1
= 5
= 3
= 6

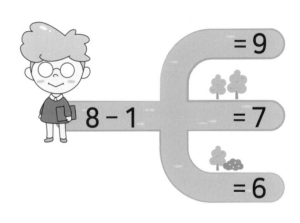

8 - 1
= 9
= 7
= 6

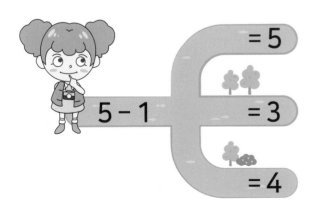

5 - 1
= 5
= 3
= 4

9 - 1
= 8
= 7
= 10

계산 결과에 알맞게 길을 그려 보세요.

도전! 계산왕

1일	거꾸로 1뛴 수 / 빼기1	86
2일	거꾸로 1뛴 수 / 빼기1	88
3일	거꾸로 1뛴 수 / 빼기1	90
4일	거꾸로 1뛴 수 / 빼기1	92
5일	거꾸로 1뛴 수 / 빼기1	94

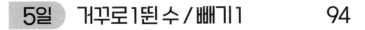

거꾸로 1뛴 수 / 빼기 1

🎵 엘리베이터 버튼의 수가 지워졌어요. 위의 수를 보고 지워진 수를 써넣으세요.

버튼: 10 9 8 7 6 5 4 3 2 1 ▶|◀ ◀|▶

① 3 2 ( )

② 6 5 ( )

③ 9 8 ( )

④ 10 9 ( )

⑤ 5 4 ( )

⑥ 8 7 ( )

⑦ 4 3 ( )

⑧ 10 ( )

⑨ 7 6 ( )

거꾸로 1뛴 수 / 빼기 1

□ 에 알맞은 수를 써넣으세요.

① 8 - 1 = □

② 5 - 1 = □

③ 3 - 1 = □

④ 2 - 1 = □

⑤ 10 - 1 = □

⑥ 7 - 1 = □

⑦ 9 - 1 = □

⑧ 4 - 1 = □

⑨ 6 - 1 = □

⑩ 5 - 1 = □

⑪ 2 - 1 = □

⑫ 3 - 1 = □

⑬ 8 - 1 = □

⑭ 10 - 1 = □

거꾸로 1뛴 수 / 빼기 1

수를 보고 이전 수를 써넣으세요.

①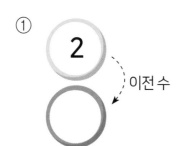
2
이전 수

②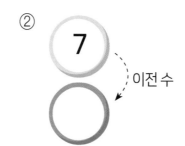
7
이전 수

③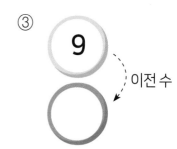
9
이전 수

④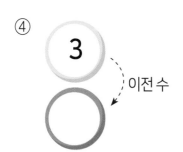
3
이전 수

⑤
6
이전 수

⑥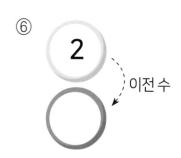
2
이전 수

⑦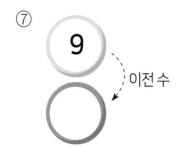
9
이전 수

⑧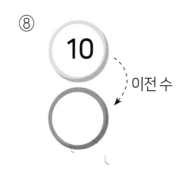
10
이전 수

⑨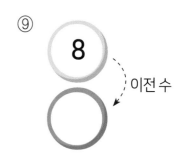
8
이전 수

⑩
4
이전 수

⑪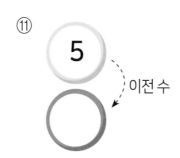
5
이전 수

⑫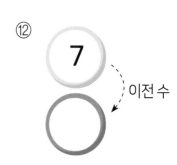
7
이전 수

거꾸로 1뛴 수 / 빼기 1

□에 알맞은 수를 써넣으세요.

① 5 - 1 = ☐

② 9 - 1 = ☐

③ 2 - 1 = ☐

④ 10 - 1 = ☐

⑤ 7 - 1 = ☐

⑥ 4 - 1 = ☐

⑦ 3 - 1 = ☐

⑧ 6 - 1 = ☐

⑨ 8 - 1 = ☐

⑩ 10 - 1 = ☐

⑪ 9 - 1 = ☐

⑫ 7 - 1 = ☐

⑬ 5 - 1 = ☐

⑭ 2 - 1 = ☐

거꾸로 1뛴 수 / 빼기 1

동생에게 구슬 1개를 주었습니다. 구슬은 몇 개가 될까요?

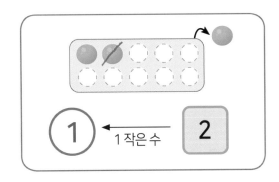

(1) ← 1 작은 수 [2]

① ( ) ← 1 작은 수 [6]

② ( ) ← 1 작은 수 [8]

③ ( ) ← 1 작은 수 [4]

④ ( ) ← 1 작은 수 [3]

⑤ ( ) ← 1 작은 수 [5]

⑥ ( ) ← 1 작은 수 [9]

⑦ ( ) ← 1 작은 수 [10]

⑧ ( ) ← 1 작은 수 [2]

⑨ ( ) ← 1 작은 수 [8]

⑩ ( ) ← 1 작은 수 [7]

⑪ ( ) ← 1 작은 수 [3]

거꾸로 1뛴 수 / 빼기 1

□에 알맞은 수를 써넣으세요.

① 2 - 1 = □   ② 4 - 1 = □

③ 6 - 1 = □   ④ 8 - 1 = □

⑤ 10 - 1 = □   ⑥ 3 - 1 = □

⑦ 5 - 1 = □   ⑧ 7 - 1 = □

⑨ 9 - 1 = □   ⑩ 6 - 1 = □

⑪ 4 - 1 = □   ⑫ 10 - 1 = □

⑬ 2 - 1 = □   ⑭ 5 - 1 = □

4일 ❶

거꾸로 1뛴 수 / 빼기 1

💡 □에 알맞은 수를 써넣으세요.

거꾸로 1 뛴 수

? | 2 | 3

$2 - 1 = \boxed{1}$

① 거꾸로 1 뛴 수

? | 5 | 6

$5 - 1 = \boxed{}$

② 거꾸로 1 뛴 수

? | 9 | 10

$9 - 1 = \boxed{}$

③ 거꾸로 1 뛴 수

? | 3 | 4

$3 - 1 = \boxed{}$

④ 거꾸로 1 뛴 수

? | 10

$10 - 1 = \boxed{}$

⑤ 거꾸로 1 뛴 수

? | 7 | 8

$7 - 1 = \boxed{}$

⑥ 거꾸로 1 뛴 수

? | 2 | 3

$2 - 1 = \boxed{}$

⑦ 거꾸로 1 뛴 수

? | 4 | 5

$4 - 1 = \boxed{}$

⑧ 거꾸로 1 뛴 수

? | 6 | 7

$6 - 1 = \boxed{}$

⑨ 거꾸로 1 뛴 수

? | 8 | 9

$8 - 1 = \boxed{}$

거꾸로 1뛴 수 / 빼기 1

□에 알맞은 수를 써넣으세요.

① 10 - 1 = ☐

② 6 - 1 = ☐

③ 3 - 1 = ☐

④ 2 - 1 = ☐

⑤ 9 - 1 = ☐

⑥ 7 - 1 = ☐

⑦ 8 - 1 = ☐

⑧ 4 - 1 = ☐

⑨ 5 - 1 = ☐

⑩ 6 - 1 = ☐

⑪ 3 - 1 = ☐

⑫ 10 - 1 = ☐

⑬ 7 - 1 = ☐

⑭ 2 - 1 = ☐

5일 ❶

거꾸로 1뛴 수 / 빼기1

공부한 날	월 일
점 수	/ 9

🧐 □에 알맞은 수를 써넣으세요.

2 − 1 = 1

① 5 − 1 = ☐

② 7 − 1 = ☐

③ 6 − 1 = ☐

④ 3 − 1 = ☐

⑤ 4 − 1 = ☐

⑥ 10 − 1 = ☐

⑦ 9 − 1 = ☐

⑧ 2 − 1 = ☐

⑨ 8 − 1 = ☐

5일❷

거꾸로 1뛴 수 / 빼기 1

❔ □에 알맞은 수를 써넣으세요.

① 7 – 1 = □

② 4 – 1 = □

③ 2 – 1 = □

④ 10 – 1 = □

⑤ 3 – 1 = □

⑥ 6 – 1 = □

⑦ 5 – 1 = □

⑧ 9 – 1 = □

⑨ 8 – 1 = □

⑩ 2 – 1 = □

⑪ 4 – 1 = □

⑫ 7 – 1 = □

⑬ 10 – 1 = □

⑭ 3 – 1 = □

우리 아이 첫 수학은
유자수 가 답이다

보드마카와
붙임 딱지로
즐겁게

내 아이에게
딱 맞는
엄마표 문제

재미있게
스스로
반복학습

방송에서 화제가 된 바로 그 교재!

생각과 자신감이 커지는 유아 자신감 수학!

실력도 탑! 재미도 탑!
사고력 수학의 으뜸!
TOP 사고력 수학

6~7세   7~8세   초1~2학년   초2~3학년

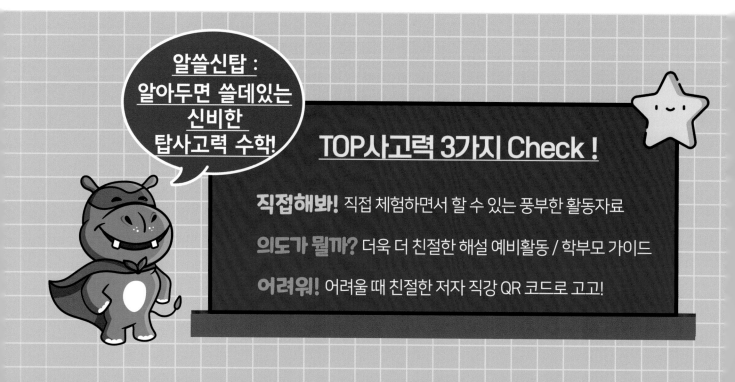

알쓸신탑 :
알아두면 쓸데있는
신비한
탑사고력 수학!

TOP사고력 3가지 Check !

직접해봐! 직접 체험하면서 할 수 있는 풍부한 활동자료

의도가 뭘까? 더욱 더 친절한 해설 예비활동 / 학부모 가이드

어려워! 어려울 때 친절한 저자 직강 QR 코드로 고고!

| 단계별 유아 원리 연산 |

수학 전문가가
만든 연산 교재

KIDS
키즈

원리셈

천종현 지음

정답

6·7세 | 1권 | 10까지의 더하기 빼기 1

천종현수학연구소

10쪽

① 7　② 5

③ 2　④ 8　⑤ 10

⑥ 9　⑦ 6　⑧ 3

11쪽

① 9　② 3　③ 10　④ 4

⑤ 10　⑥ 7　⑦ 5　⑧ 6

⑨ 8　⑩ 2　⑪ 7　⑫ 4

12쪽

① 5　② 2

③ 9　④ 6　⑤ 8

⑥ 10　⑦ 4　⑧ 7

⑨ 2　⑩ 3　⑪ 8

13쪽

① 4

② 2　③ 6

④ 9　⑤ 8

⑥ 5　⑦ 7

14쪽

① 5　② 10

③ 4　④ 7

⑤ 6　⑥ 8

⑦ 9　⑧ 3

15쪽

① 7

② 6　③ 10

④ 5　⑤ 8

⑥ 3　⑦ 9

⑧ 2　⑨ 4

⑩ 8　⑪ 6

16쪽

① 8　② 6

③ 4　④ 10

⑤ 7　⑥ 9

17쪽

① 8　② 10

③ 4　④ 3

⑤ 2　⑥ 5

⑦ 6　⑧ 7

18쪽

① 10

② 5　③ 9

④ 4　⑤ 7

⑥ 2　⑦ 6

⑧ 8　⑨ 3

19쪽

① 1　② 5

③ 8　④ 9

⑤ 7　⑥ 3

20쪽

① 9　② 4

③ 2　④ 8

⑤ 6　⑥ 6

⑦ 7　⑧ 10

⑨ 3　⑩ 5

21쪽

① 2, 3

② 8, 9

③ 7, 7

④ 3, 4

22쪽

① 3
② 7　③ 10
④ 5　⑤ 2
⑥ 9　⑦ 6

23쪽

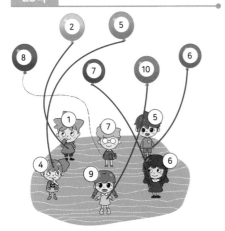

24쪽

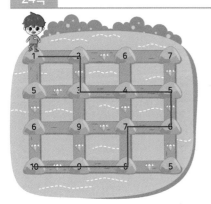

길을 따라가면 보석을 몇 개 얻을 수 있나요?　🏆 3 개

2주차 - 더하기 1

26쪽

① 5, 1, 6
② 2, 1, 3　③ 4, 1, 5
④ 8, 1, 9　⑤ 1, 1, 2
⑥ 3, 1, 4　⑦ 6, 1, 7
⑧ 7, 1, 8　⑨ 9, 1, 10

27쪽

① 6, 1, 7
② 8, 1, 9　③ 5, 1, 6
④ 7, 1, 8　⑤ 3, 1, 4
⑥ 2, 1, 3　⑦ 9, 1, 10
⑧ 1, 1, 2　⑨ 4, 1, 5

28쪽

① 5, 1, 6
② 8, 1, 9　③ 2, 1, 3
④ 1, 1, 2　⑤ 7, 1, 8
⑥ 3, 1, 4　⑦ 9, 1, 10
⑧ 6, 1, 7　⑨ 4, 1, 5

29쪽

① 4
② 9　③ 7
④ 2　⑤ 10
⑥ 8　⑦ 6
⑧ 3　⑨ 5

30쪽

① 8
② 10　③ 6
④ 3　⑤ 7
⑥ 9　⑦ 2
⑧ 5　⑨ 4

31쪽

① 4　② 5
③ 7　④ 9
⑤ 2　⑥ 8
⑦ 3　⑧ 10
⑨ 6　⑩ 7
⑪ 5　⑫ 9
⑬ 8　⑭ 4

32쪽

① 6
② 8　③ 5
④ 3　⑤ 10
⑥ 9　⑦ 2
⑧ 7　⑨ 4

33쪽

① 2

② 6 ③ 9

④ 5 ⑤ 10

⑥ 4 ⑦ 8

⑧ 3 ⑨ 7

34쪽

① 5 ② 3

③ 8 ④ 2

⑤ 6 ⑥ 9

⑦ 10 ⑧ 5

⑨ 4 ⑩ 7

⑪ 9 ⑫ 3

⑬ 10 ⑭ 8

35쪽

① 6

② 6

③ 3

④ 3

⑤ 9

⑥ 9

36쪽

① 7

② 7

③ 10

④ 10

⑤ 5

⑥ 5

⑦ 8

⑧ 8

37쪽

① 3 ③ 6

② 3 ④ 6

⑤ 10 ⑦ 7

⑥ 10 ⑧ 7

⑨ 4 ⑪ 8

⑩ 4 ⑫ 8

⑬ 9 ⑮ 5

⑭ 9 ⑯ 5

38쪽

① 6 ② 7 ③ 8

④ 2 ⑤ 3 ⑥ 9 ⑦ 10

39쪽

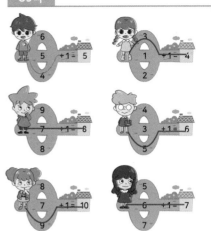

40쪽

① 9 ② 8

③ 10 ④ 4 ⑤ 5

3주차 - 도전! 계산왕

42쪽

① 4 ② 9 ③ 5

④ 7 ⑤ 3 ⑥ 10

⑦ 2 ⑧ 8 ⑨ 6

43쪽

① 5　② 8
③ 2　④ 6
⑤ 9　⑥ 3
⑦ 7　⑧ 8
⑨ 5　⑩ 10
⑪ 4　⑫ 2
⑬ 9　⑭ 6

44쪽

① 2　② 4　③ 6
④ 8　⑤ 10　⑥ 5
⑦ 7　⑧ 9　⑨ 3
⑩ 4　⑪ 8　⑫ 6

45쪽

① 6　② 3
③ 4　④ 2
⑤ 8　⑥ 9
⑦ 10　⑧ 2
⑨ 5　⑩ 3
⑪ 2　⑫ 6
⑬ 9　⑭ 8

46쪽

　　　① 5
② 8　③ 3
④ 6　⑤ 9
⑥ 2　⑦ 4
⑧ 7　⑨ 10
⑩ 3　⑪ 5

47쪽

① 4　② 6
③ 8　④ 10
⑤ 2　⑥ 4
⑦ 7　⑧ 9
⑨ 6　⑩ 3
⑪ 10　⑫ 5
⑬ 7　⑭ 8

48쪽

　　　① 7
② 10　③ 4
④ 8　⑤ 5
⑥ 6　⑦ 3
⑧ 9　⑨ 10

49쪽

① 8　② 3
③ 5　④ 9
⑤ 10　⑥ 2
⑦ 4　⑧ 6
⑨ 7　⑩ 10
⑪ 8　⑫ 9
⑬ 3　⑭ 5

50쪽

　　　① 6
② 8　③ 2
④ 7　⑤ 10
⑥ 9　⑦ 4
⑧ 5　⑨ 3

51쪽

① 4　② 8
③ 9　④ 2
⑤ 5　⑥ 6
⑦ 3　⑧ 7
⑨ 10　⑩ 9
⑪ 8　⑫ 4
⑬ 3　⑭ 6

4주차 - 거꾸로 1 뛴 수

54쪽

　　　① 7　② 3
③ 5　④ 8　⑤ 2
⑥ 6　⑦ 9　⑧ 1

55쪽

① 8　② 4　③ 6　④ 5
⑤ 7　⑥ 9　⑦ 3　⑧ 4
⑨ 1　⑩ 6　⑪ 5　⑫ 2

56쪽

① 8　② 2　③ 5
④ 9　⑤ 4　⑥ 1
⑦ 7　⑧ 6　⑨ 4
⑩ 3　⑪ 5　⑫ 8

① 1
② 3　③ 5
④ 6　⑤ 4
⑥ 9　⑦ 7

① 6　② 4
③ 1　④ 2
⑤ 5　⑥ 7
⑦ 3　⑧ 8

① 8
② 3　③ 6
④ 4　⑤ 5
⑥ 9　⑦ 1
⑧ 7　⑨ 2
⑩ 8　⑪ 6

① 5　② 7
③ 3　④ 4
⑤ 2　⑥ 8

① 2　② 6
③ 1　④ 9
⑤ 5　⑥ 4
⑦ 8　⑧ 6

① 8
② 7　③ 3
④ 5　⑤ 2
⑥ 9　⑦ 4
⑧ 1　⑨ 6

① 2
② 3　③ 8　④ 5
⑤ 9　⑥ 2

① 7　② 8　③ 3
④ 4　⑤ 10　⑥ 7
⑦ 1　⑧ 6

① 9, 8
② 6, 5　③ 3, 3

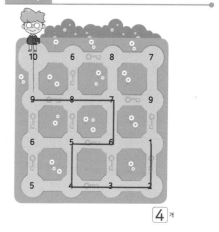

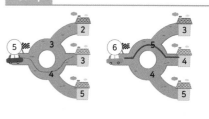

4 개

5주차 - 빼기 1

① 5, 1, 4
② 7, 1, 6　③ 6, 1, 5
④ 8, 1, 7　⑤ 10, 1, 9
⑥ 2, 1, 1　⑦ 4, 1, 3
⑧ 9, 1, 8　⑨ 3, 1, 2

정답 5

① 6, 1, 5
② 7, 1, 6　③ 3, 1, 2
④ 8, 1, 7　⑤ 2, 1, 1
⑥ 5, 1, 4　⑦ 10, 1, 9
⑧ 4, 1, 3　⑨ 9, 1, 8

72쪽

① 2, 1, 1
② 9, 1, 8　③ 3, 1, 2
④ 7, 1, 6　⑤ 6, 1, 5
⑥ 5, 1, 4　⑦ 8, 1, 7
⑧ 4, 1, 3　⑨ 10, 1, 9

73쪽

① 2
② 3　③ 8
④ 4　⑤ 6
⑥ 9　⑦ 5
⑧ 7　⑨ 1

74쪽

① 6
② 8　③ 5
④ 1　⑤ 4
⑥ 7　⑦ 3
⑧ 2　⑨ 9

75쪽

① 4　② 2
③ 5　④ 9
⑤ 3　⑥ 6
⑦ 7　⑧ 8
⑨ 1　⑩ 3
⑪ 5　⑫ 4
⑬ 6　⑭ 7

76쪽

① 2
② 1　③ 3
④ 9　⑤ 7
⑥ 4　⑦ 5
⑧ 8　⑨ 6

77쪽

① 9
② 2　③ 7
④ 6　⑤ 3
⑥ 4　⑦ 8
⑧ 1　⑨ 5

78쪽

① 6　② 1
③ 3　④ 7
⑤ 5　⑥ 8
⑦ 9　⑧ 3
⑨ 2　⑩ 4
⑪ 7　⑫ 6
⑬ 8　⑭ 2

79쪽

① 7　② 2
③ 3　④ 9
⑤ 3　⑥ 2
⑦ 6　⑧ 10

80쪽

① 8　② 9
③ 4　④ 1
⑤ 8　⑥ 6
⑦ 5　⑧ 4
⑨ 7　⑩ 10
⑪ 5　⑫ 6

81쪽

① 8, 7
② 5, 6
③ 9, 8
④ 6, 7

82쪽

3 - 1 — 2
9 - 1 — 8
4 - 1 — 3
7 - 1 — 6
10 - 1 — 9
6 - 1 — 5

83쪽

84쪽

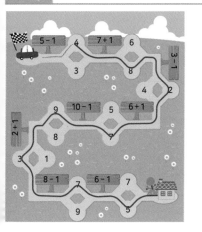

6주차 - 도전! 계산왕

86쪽

① 1   ② 4   ③ 7

④ 8   ⑤ 3   ⑥ 6

⑦ 2   ⑧ 9   ⑨ 5

87쪽

① 7   ② 4

③ 2   ④ 1

⑤ 9   ⑥ 6

⑦ 8   ⑧ 3

⑨ 5   ⑩ 4

⑪ 1   ⑫ 2

⑬ 7   ⑭ 9

88쪽

① 1   ② 6   ③ 8

④ 2   ⑤ 5   ⑥ 1

⑦ 8   ⑧ 9   ⑨ 7

⑩ 3   ⑪ 4   ⑫ 6

89쪽

① 4   ② 8

③ 1   ④ 9

⑤ 6   ⑥ 3

⑦ 2   ⑧ 5

⑨ 7   ⑩ 9

⑪ 8   ⑫ 6

⑬ 4   ⑭ 1

90쪽

　　　　① 5

② 7   ③ 3

④ 2   ⑤ 4

⑥ 8   ⑦ 9

⑧ 1   ⑨ 7

⑩ 6   ⑪ 2

91쪽

① 1   ② 3

③ 5   ④ 7

⑤ 9   ⑥ 2

⑦ 4   ⑧ 6

⑨ 8   ⑩ 5

⑪ 3   ⑫ 9

⑬ 1   ⑭ 4

92쪽

　　　　① 4

② 8   ③ 2

④ 9   ⑤ 6

⑥ 1   ⑦ 3

⑧ 5   ⑨ 7

93쪽

① 9   ② 5

③ 2   ④ 1

⑤ 8   ⑥ 6

⑦ 7   ⑧ 3

⑨ 4   ⑩ 5

⑪ 2   ⑫ 9

⑬ 6   ⑭ 1

94쪽

　　　　① 4

② 6   ③ 5

④ 2   ⑤ 3

⑥ 9   ⑦ 8

⑧ 1   ⑨ 7

95쪽

① 6 　② 3
③ 1 　④ 9
⑤ 2 　⑥ 5
⑦ 4 　⑧ 8
⑨ 7 　⑩ 1
⑪ 3 　⑫ 6
⑬ 9 　⑭ 2

총괄 테스트

1권 10까지의 더하기 빼기 1

이름 / 점수

01 1 큰 수를 구하세요.

3 → 1 큰 수 → 4

02 수를 검은색 마술 모자에 넣으면 똑같은 수가 나오고, 파란색 마술 모자에 넣으면 1 큰 수가 나옵니다. □에 알맞은 수를 써넣으세요.

5 / 5 5 5 / 6

7 / 8

3 / 3

03 □에 알맞은 수를 써넣으세요.

$4 + 1 = 5$

$7 + 1 = 8$

04 계산 결과에 알맞게 선으로 이으세요.

7+1 · · 8
5+1 · · 7
· 9
· 6

05 1 작은 수를 구하세요.

9 → 1 작은 수 → 10

06 ○ 안의 수보다 1 작은 수에는 ○표를, 1 큰 수에는 △표를 하세요.

④ 5 3 (7)
△8 7 5 ⑥

07 □에 알맞은 수를 써넣으세요.

$4 - 1 = 3$

$8 - 1 = 7$

08 계산 결과에 알맞게 선으로 이어 보세요.

6-1 · 9-1
· 8 5 6 7

총괄 테스트

09 1 큰 수를 구하세요.

7 → 1 큰 수 → 8

10 수를 초록색 마술 상자에 넣으면 똑같은 수가 나오고, 빨간색 마술 상자에 넣으면 1 작은 수가 나옵니다. □에 알맞은 수를 써넣으세요.

5 / 5 5 / 4

8 / 8

4 / 3

11 □에 알맞은 수를 써넣으세요.

$3 + 1 = 4$

$9 + 1 = 10$

12 계산 결과에 알맞게 길을 그려 보세요.

5+1 = 6
= 7
= 4

13 1 작은 수를 구하세요.

8 → 1 작은 수 → 9

14 ○ 안의 수보다 1 작은 수에는 ○표, 1 큰 수에는 △표를 하세요.

① 2 △3 5
△4 8 6 (7)

15 □에 알맞은 수를 써넣으세요.

$7 - 1 = 6$

$5 - 1 = 4$

16 계산 결과에 알맞게 길을 그려 보세요.

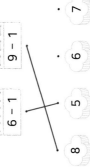

4
5 - 1 = 4
3

키즈 수학 전문가가
만든 연산 교재
원리셈

세분화된
원리 학습

다양한
유형의 연습

충분한
연습

성취도
확인